2

3

4

5

6

7

8

9

10

11

12

13

14

15

16

17

18

19

20

21

22

23

24

25

26

7

8

9

0

31

32

33

34

35

36

37

38

39

40

41

42

43

44

45

46

47

48

49

50

51

52

53

54

55

56

1

2

3

4

5

6

7

8

9

10

10

20

30

40

50

60

70

80

90

100

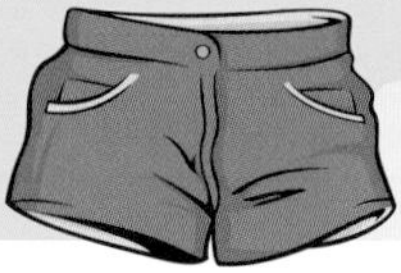

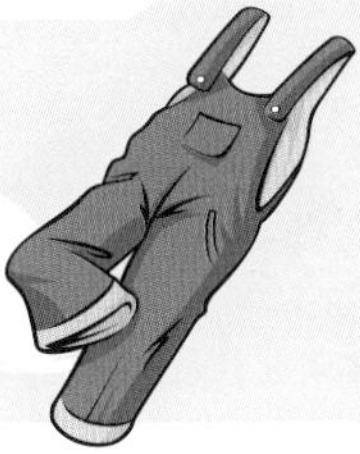

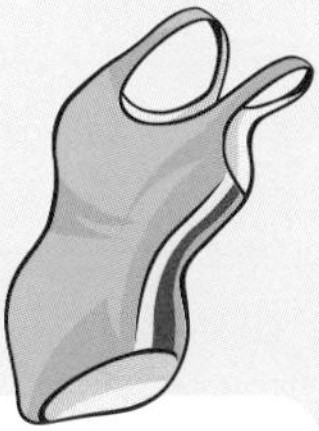

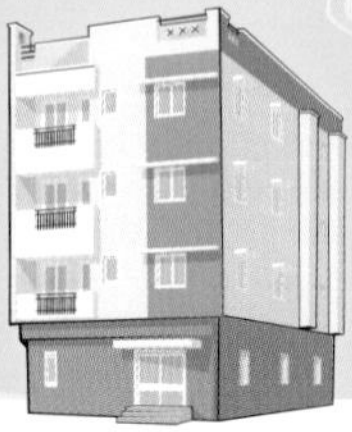

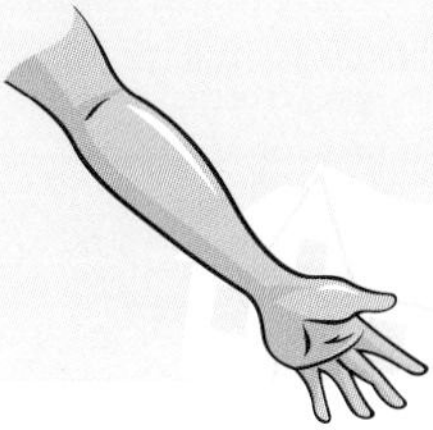

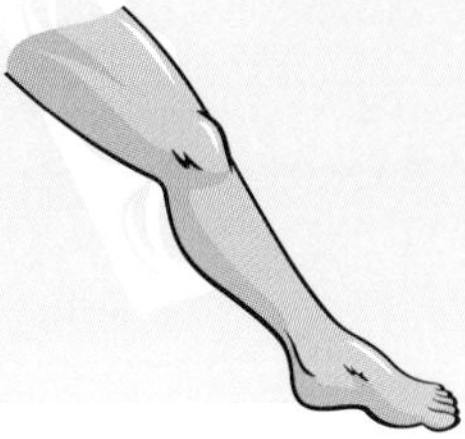

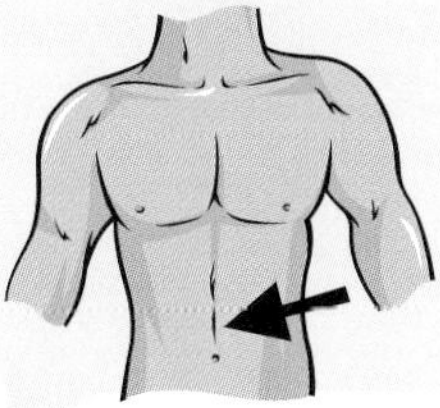

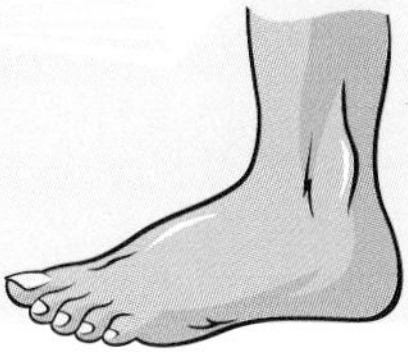

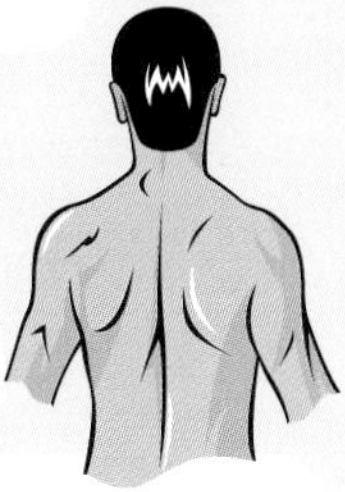

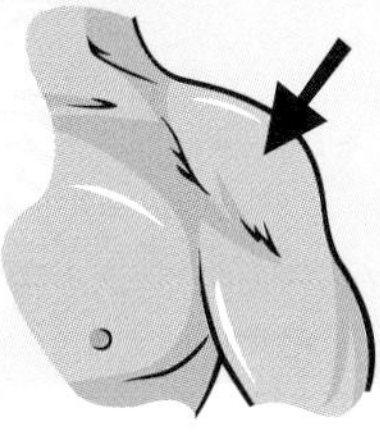

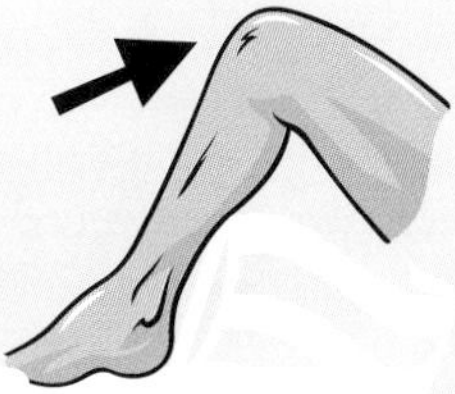

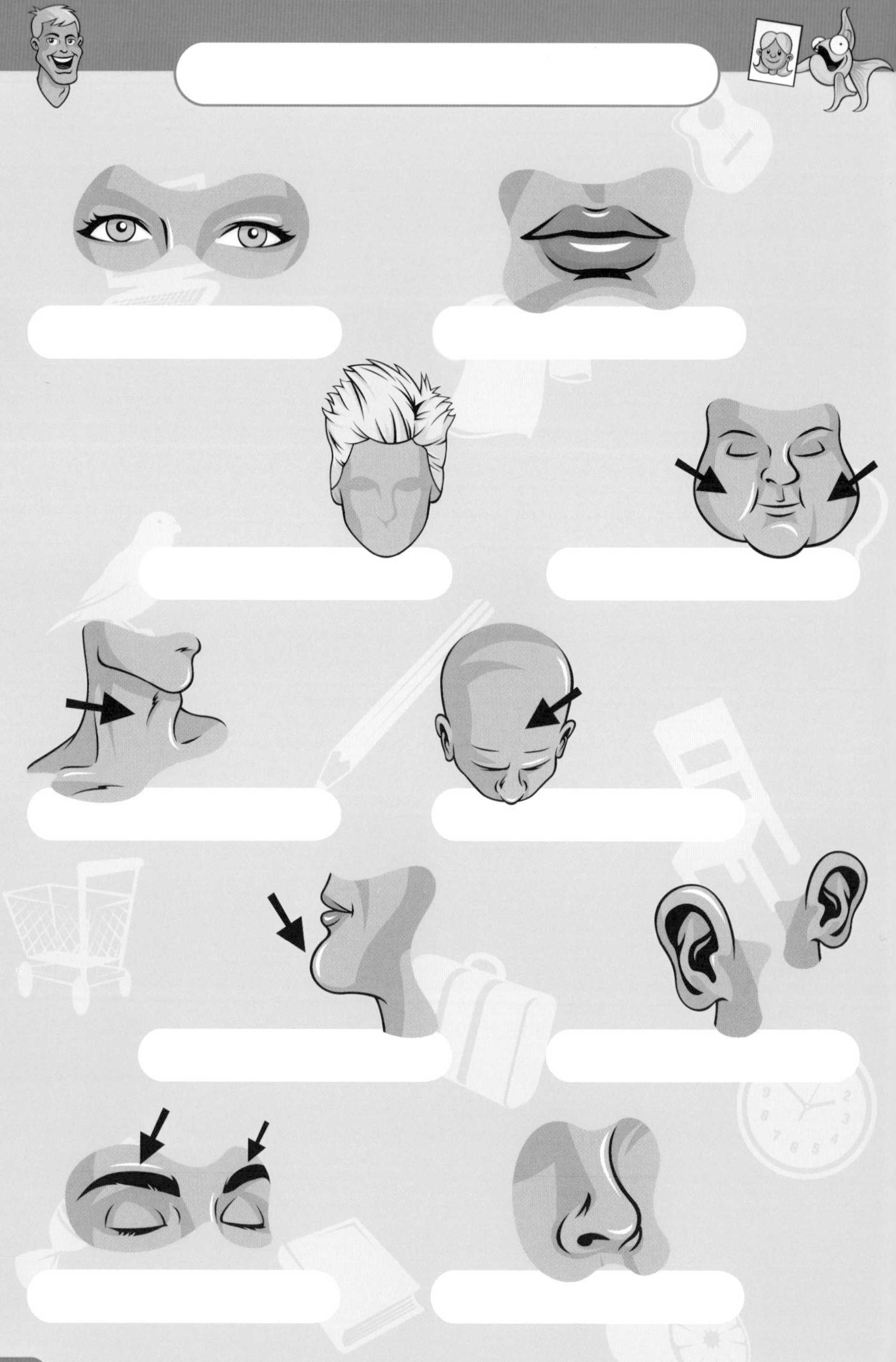

2+2
=?

BLA BLA
BLA BLA
BLA

30
20
10
0
-10
-20

30
20
10
0
-10
-20

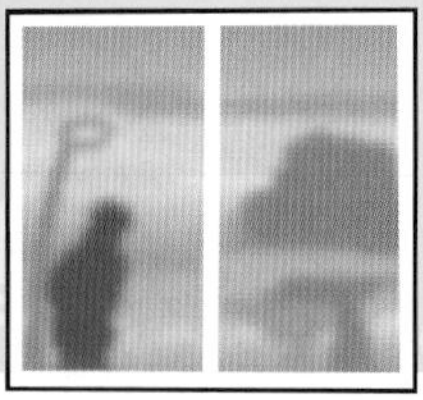

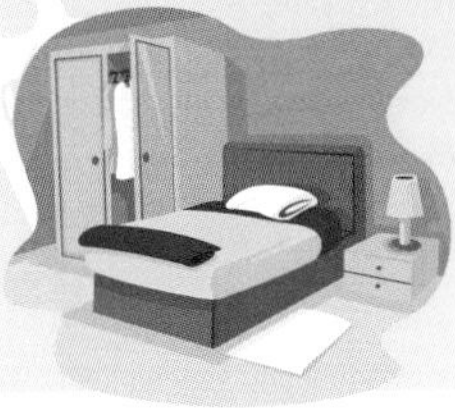

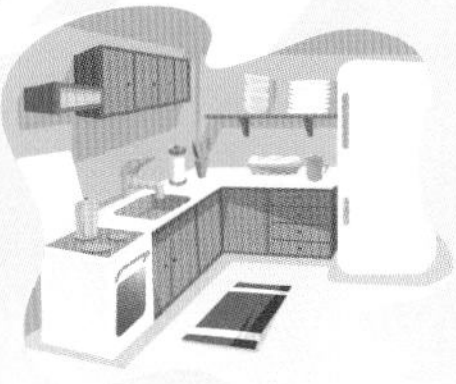

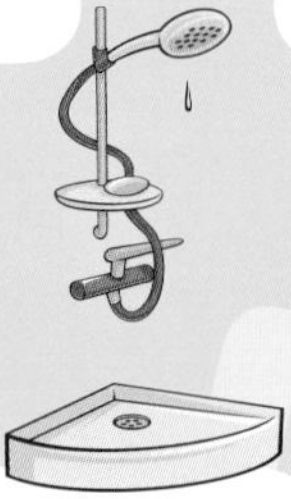

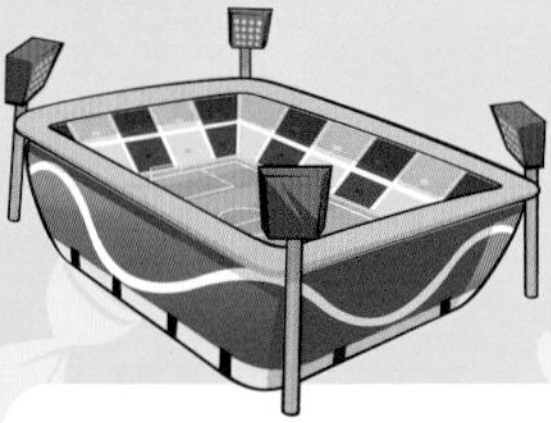

40%

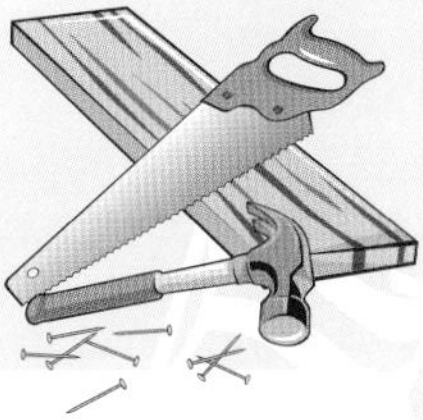

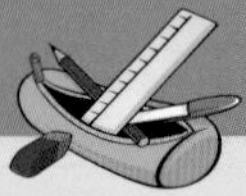

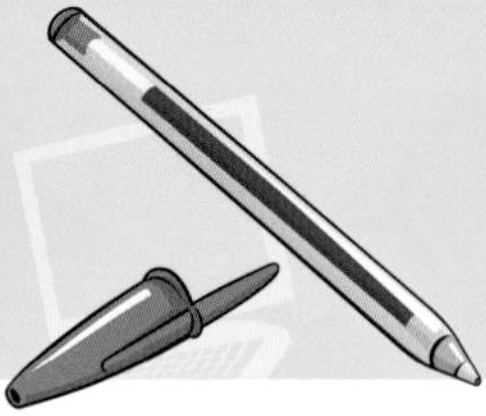

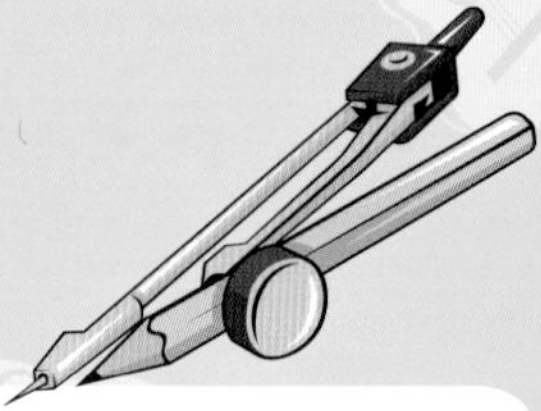

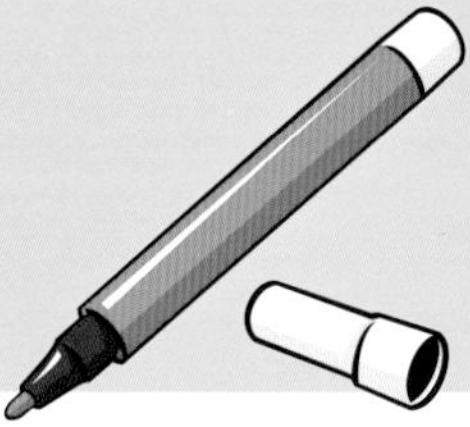

0123456789

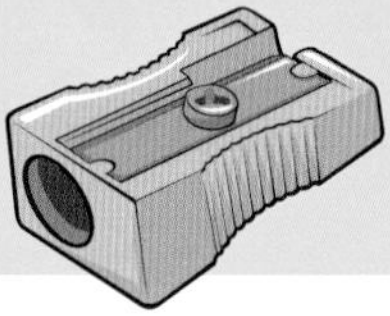

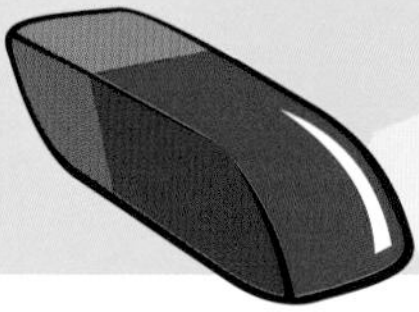

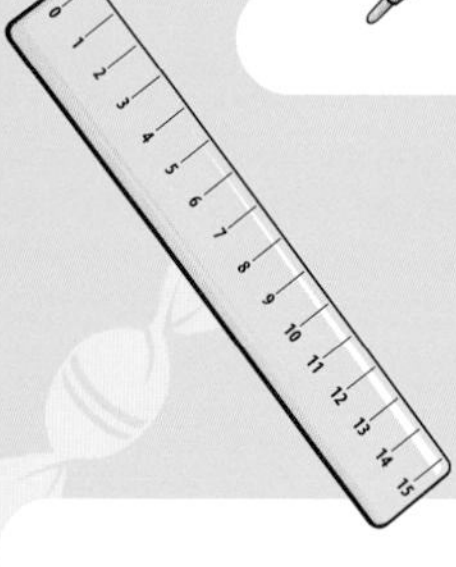
0 1 2 3 4 5 6 7 8 9 10 11 12 13 14 15

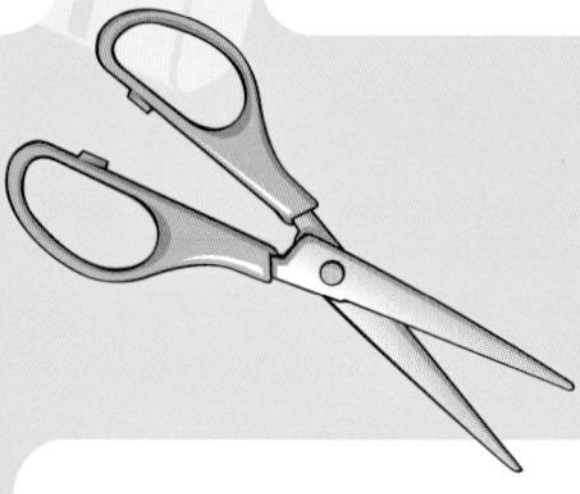

01:15
02:30
02:45
03:30
03:45
04:15
05:00
11:15
12:00
12:00

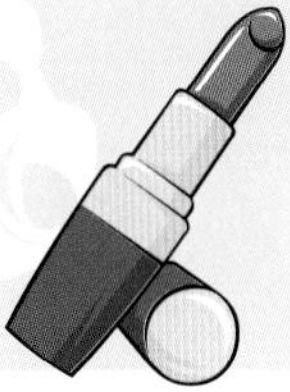

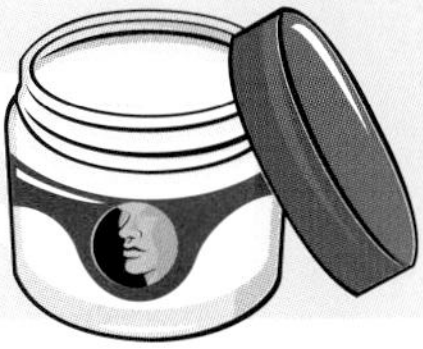

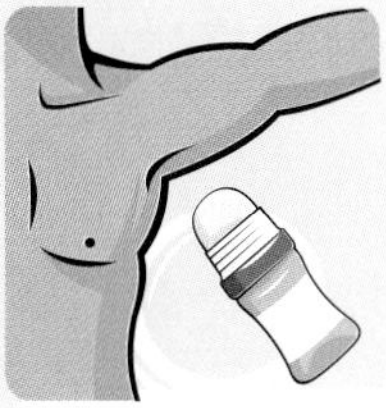

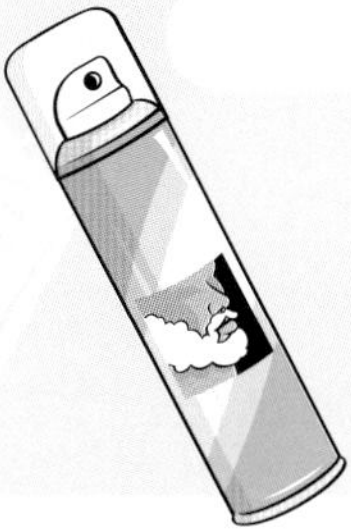

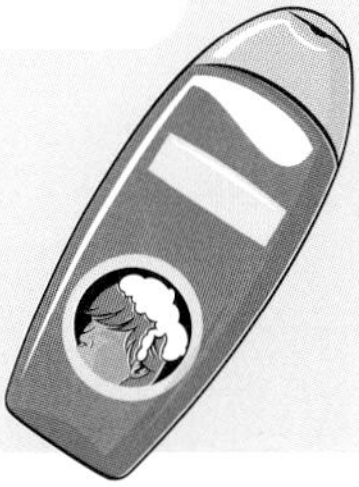

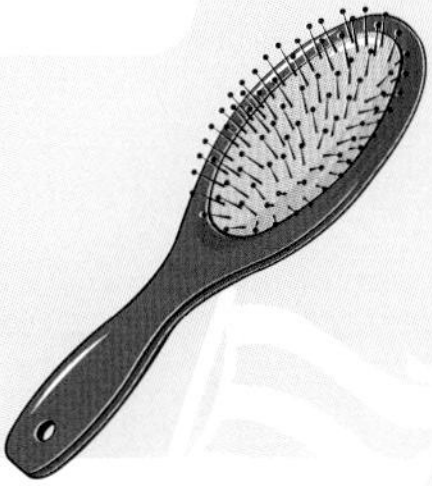

Republique
Democratique de
Linguascope

A

TV2
ZUM GDROP BLUK SKABOOM PSTTOP IST STOEMP

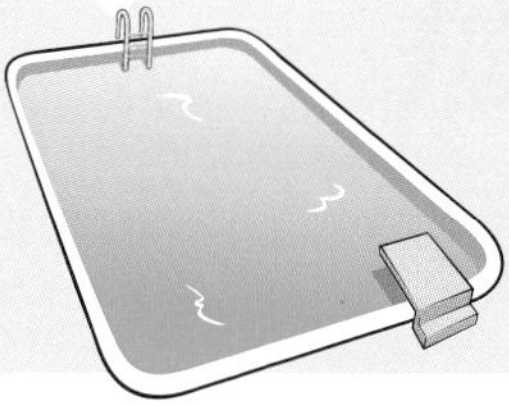

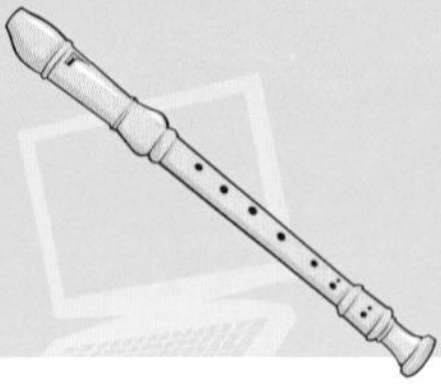

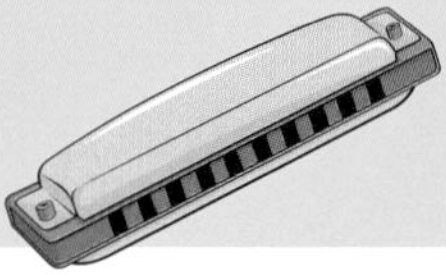

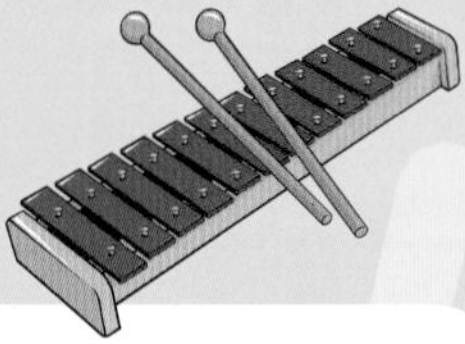
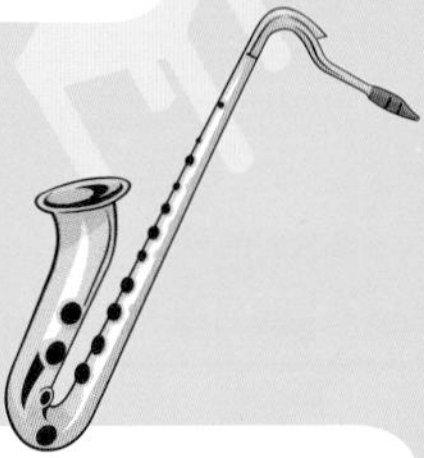

http://www.

ANNA

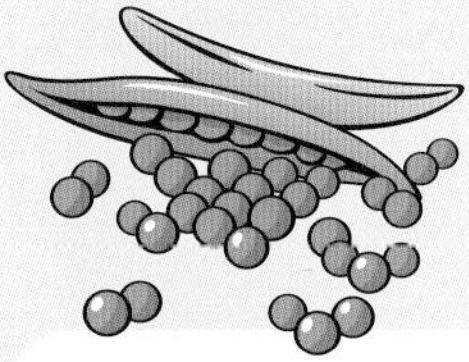

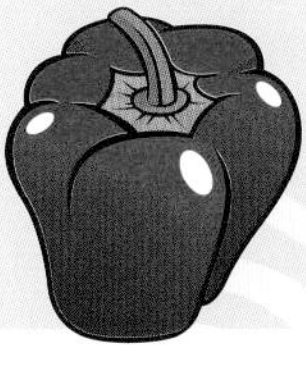

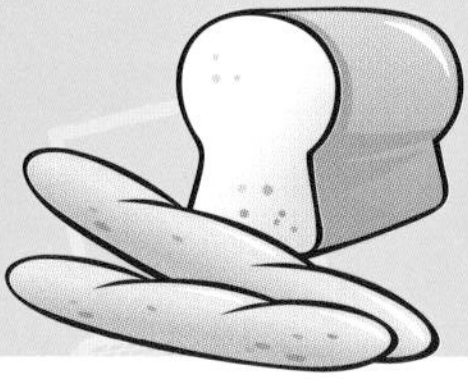

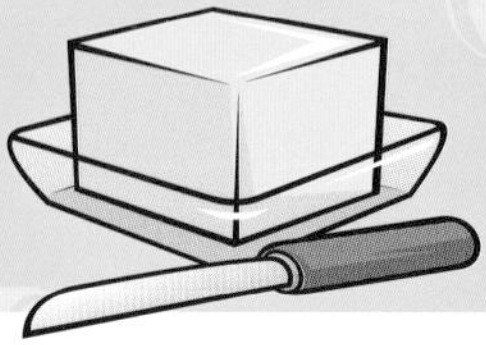

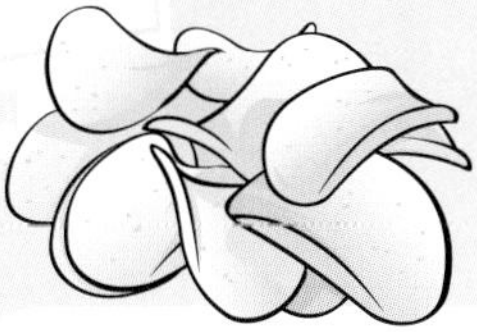

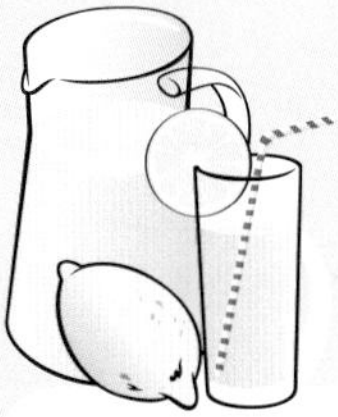

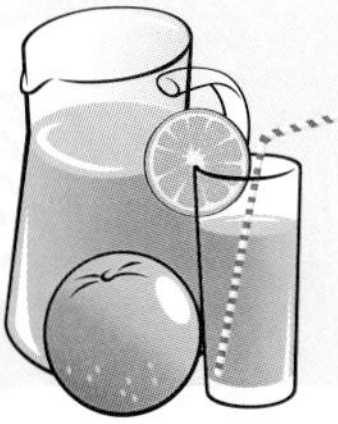

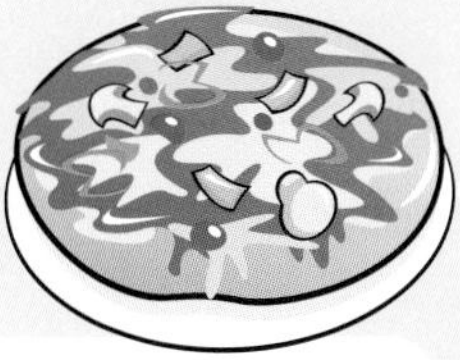

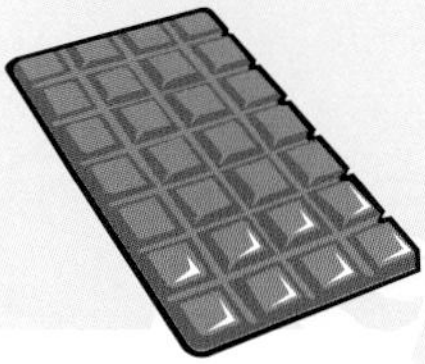

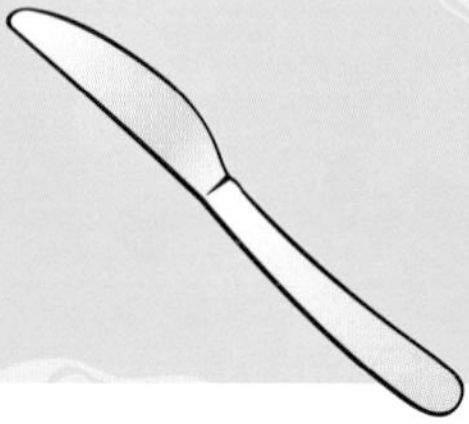

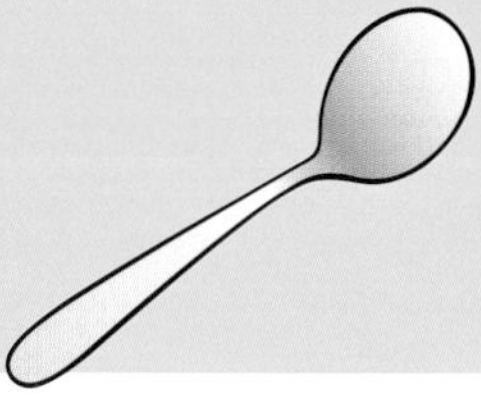

1 2 3
A B C

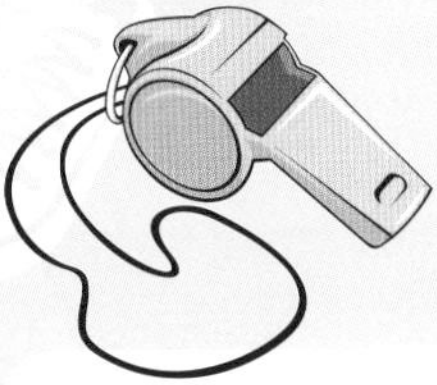

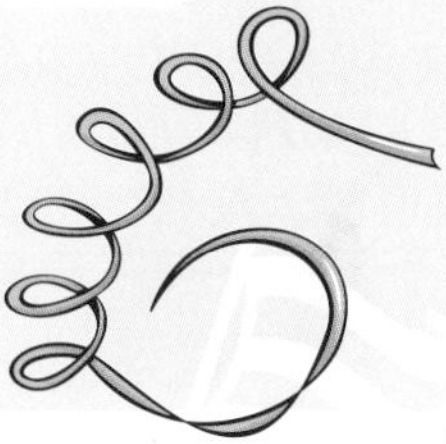

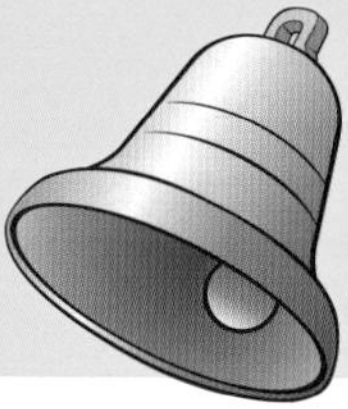

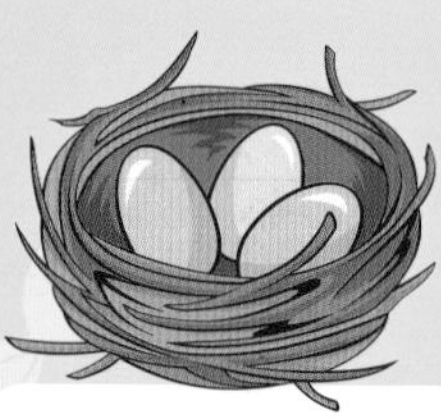